BÉLA BARTÓK • SUITE FÜR KLAVIER

Béla Bartók: Suite für Klavier

UE 5891
ISMN 979-0-008-00029-4
UPC 8-03452-05783-3
ISBN 978-3-7024-1301-9

Béla Bartók

Suite

für Klavier op. 14 (1916)

Revision: Peter Bartók

Für die vorliegende revidierte Ausgabe wurden sämtliche verfügbare handschriftliche Quellen herangezogen: die Skizze des Werkes, die Reinschrift (Stichvorlage), ein Korrekturabzug der Erstausgabe und Stellen aus dem Briefwechsel zwischen Komponist und Verleger.

Bereits zu Lebzeiten des Komponisten erschienen mehrere Ausgaben des Werkes, die ihm die Möglichkeit zu Änderungen und Korrekturen geboten hätten. Darum weicht auch die vorliegende Neuausgabe von früheren Ausgaben nur in wenigen Punkten ab. Diese Unterschiede betreffen einige dynamische Zeichen, Akzente und Endpunkte von Crescendo-Gabeln, welche genauer gesetzt wurden. Keine einzige falsche Note konnte gefunden werden.

Nach der Erstausgabe des Werkes nahm Bartók eine Revision der Tempi vor. Er verringerte die Metronomangaben in den meisten Abschnitten der ersten drei Sätze um ungefähr 20–30, im vierten Satz um etwa 10. Eine Passage im dritten Satz blieb unverändert: *Poco più mosso* (Takt 60) wurde bei 𝅗𝅥 = 160 belassen (gilt bis *Tempo I* in Takt 85). Es muß ungeklärt bleiben, ob das ursprüngliche, schnellere Tempo bewusst beibehalten oder vom Komponisten oder Stecher übersehen wurde (Bartóks Anweisungen für die Korrekturen in der zweiten Auflage sind nicht schriftlich belegt). Man kann annehmen, daß diese Tempovorschrift bei der Revision übersehen wurde, da die verbale Anweisung *poco più mosso* nicht geändert wurde, die der Steigerung des Tempos von 144 auf 160 in der Erstausgabe entsprochen hatte. In der zweiten Fassung entsteht nun ein Sprung von 124 auf 160, wobei nun der Zusatz *poco* fehl am Platz scheint. Aufgrund des Fehlens schriftlicher Belege wurde von einer Korrektur der Metronomangabe auf 𝅗𝅥 = 140 dennoch abgesehen.

In der Skizze zu diesem Werk findet sich im dritten Satz in Takt 103 ein ***ff*** auf dem zweiten Taktschlag. Diese dynamische Anweisung fehlt in allen späteren Quellen und wurde ebenfalls nicht in die vorliegende Ausgabe aufgenommen. Obwohl es naheliegend scheint, daß das Crescendo bei der höchsten Note a ein ***ff*** erreicht (wie in der Skizze), ist es ebenso möglich, daß sich der Komponist später für ein gemäßigteres Crescendo entschied, das in Takt 105 ***f*** erreicht. Das Fehlen des ***ff*** in Takt 103 könnte beabsichtigt sein.

Für die hilfreiche Unterstützung bei der Vorbereitung der revidierten Ausgabe sei Eva Beglarian, Nelson Dellamaggiore, Dr. Lászlo Somfai (Direktor des Bartók-Archivs in Budapest) und dem Pianisten György Sándor aufrichtig gedankt.

Peter Bartók

This revised edition was prepared with reference to all manuscript sources that could be found: the sketch, final (engraving) copy, a corrected proof of the first printed edition and some communications between the composer and his publisher.

Since there were several editions already in the composer's lifetime, which provided opportunities for changes and corrections, the present revised edition differs from the preceding one in only a few respects. The changes include dynamics and accents; precise endings of crescendos have been adjusted. Not a single wrong note could be found.

Subsequent to the first edition Béla Bartók revised the tempi, reducing the metronome marks in most sections of the first three movements by about 20 to 30 numbers, those in the fourth movement by approximately 10. One section in the third movement was left unchanged: *Poco più mosso* (bar 60) remained 𝅗𝅥 = 160, up to *Tempo I* in bar 85. It is not possible to determine if this section was left at the original, higher tempo deliberately, or through oversight by the composer or printer (Béla Bartók's instructions, as to changes to be made for a second edition, can not be located). The latter possibility can be suspected, since the verbal tempo, *poco più mosso*, corresponding to the increase from 144 to 160 (in the first edition) was not modified; one could possibly expect an intended jump from 124 to 160 to be accompanied by deletion of the *poco*. In the absence of proof, however, the number 160 could not be editorially changed to 140.

In the first sketch the dynamic ***ff*** is found in bar 103 of the third movement at beat 2. It is missing in all subsequent sources and could not be added in the present edition either. While the crescendo may be expected to reach ***ff*** at the highest note A, as in the sketch, it is also conceivable that the composer chose later a more modest grade of crescendo up to the ***f*** in bar 105. Deletion of the ***ff*** in bar 103 could, perhaps, have been intentional.

The assistance of Eva Beglarian, Nelson Dellamaggiore, Dr. László Somfai (Director, Bartók Archivum, Budapest) and György Sándor, pianist, in the preparation of this revised edition is gratefully acknowledged.

P. B.

Suite

für Klavier op. 14 (1916)

Béla Bartók
(1881 – 1945)

1

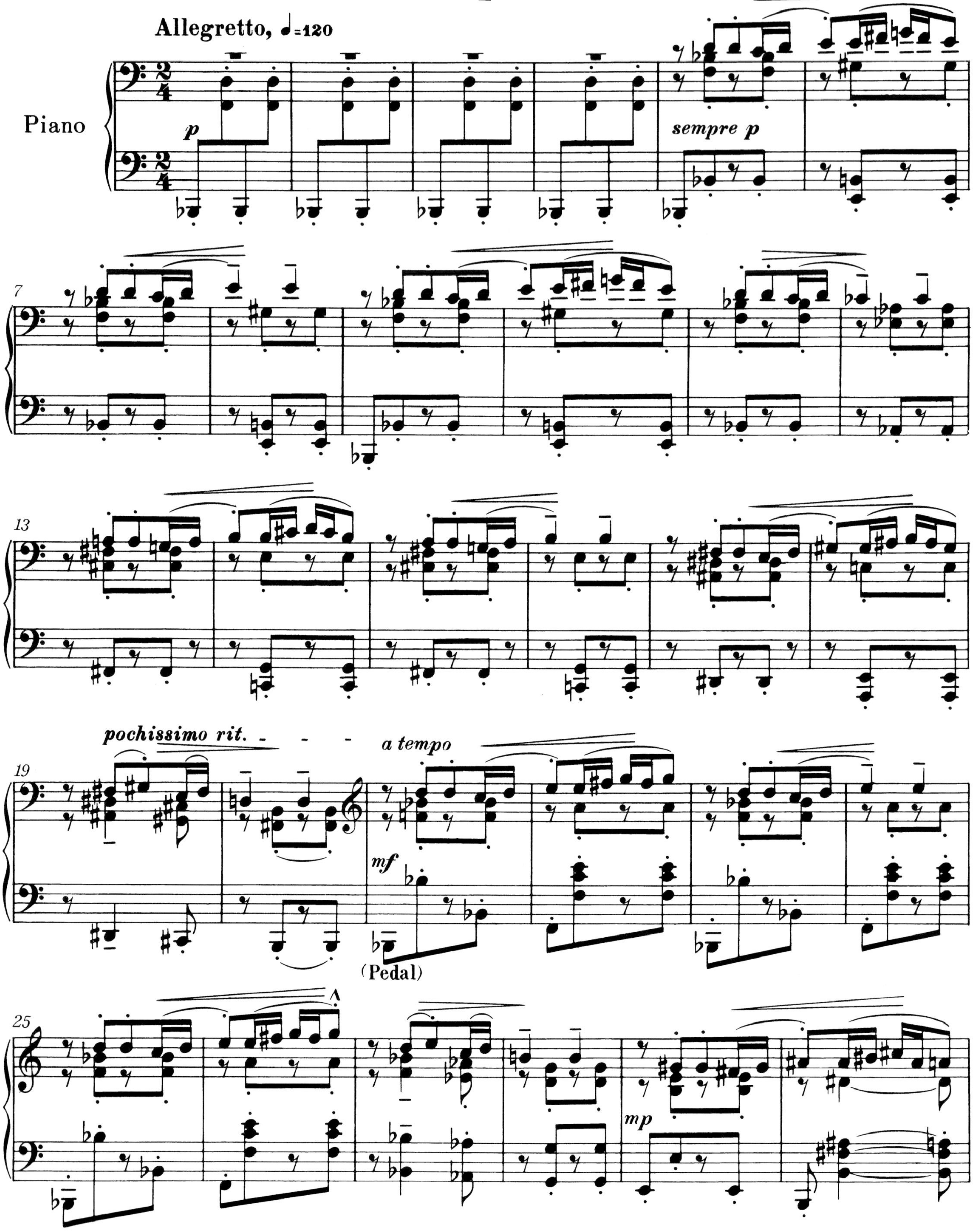
Allegretto, ♩=120
Piano
p
sempre p
7
13
19
pochissimo rit.
a tempo
mf
(Pedal)
25
mp

Universal Edition UE 5891

31
rit.
37
quasi a tempo (♩=106)
espr.
p poco marcato
cresc.
44
rit.
51
molto
poco a poco accel. al
Tempo I
p
f
sf
p
57
ritenuto
p
cresc.
sf

poco a poco accel al - - Tempo I
poco a poco cresc.
Meno mosso
poco f, dim.
stringendo
al
dim.

Tempo I
p leggiero
ppp
pp
p
Meno mosso
accel.
al
mp
mf
poco cresc.
Tempo I
non legato
più cresc.
f
mf
p
mf
1
8
Durée d'exécution ca 2′

2

Scherzo, 𝅗𝅥. = 122
f marcatissimo
9
17
p
cresc.
25
sf
Tranquillo, 𝅗𝅥. = 102
33
f giocoso
sf
sf

sf
sf
più tranquillo
mf
rit.
cresc.
Tempo I
ff marcatissimo
p
f
ff
sf
sf
sf

73
sf
sf
sf
sf
sf
sf
sf
80
sf
f
sf
88
sempre simile
sf
95
poco rit.
a tempo
sf
sff
sff
102
sff
sff

109
sempre f
115
cresc.
122
ff marcatissimo
130
p
f
mf
138
ff
mf
1
mp

*) └──┘ = Pedalbezeichnung / *Pedal indication*

Durée d'exécution ca 1'50"

3

Allegro molto, 𝅗𝅥 = 124
p non legato
pp
pp
mp
mf
cresc.
sempre simile
p
cresc.

22
26
30
dim.
34
mf
come sopra
38
f

sempre f
ff
ff
ff
ff
poco allarg.
fff
Poco più mosso, 𝅗𝅥=160
ff martellato

66
ff
70
75
sf
80
poco rit.
poco a poco accel. al
f
dim.
85
Tempo I

pp
p
sempre simile
mf
cresc.
f strepitoso
ff

sempre più mosso
sff
sff
sf
sf
f cresc.
ff
ritardando
lunga
fff
ff
attacca
Durée d'exécution ca 2'5"

4

Sostenuto, ♪=120-110
p dolce
dolce
espr.
p
poco cresc.
dolce
perdendosi
p
espr.
ritard. al
molto espr.

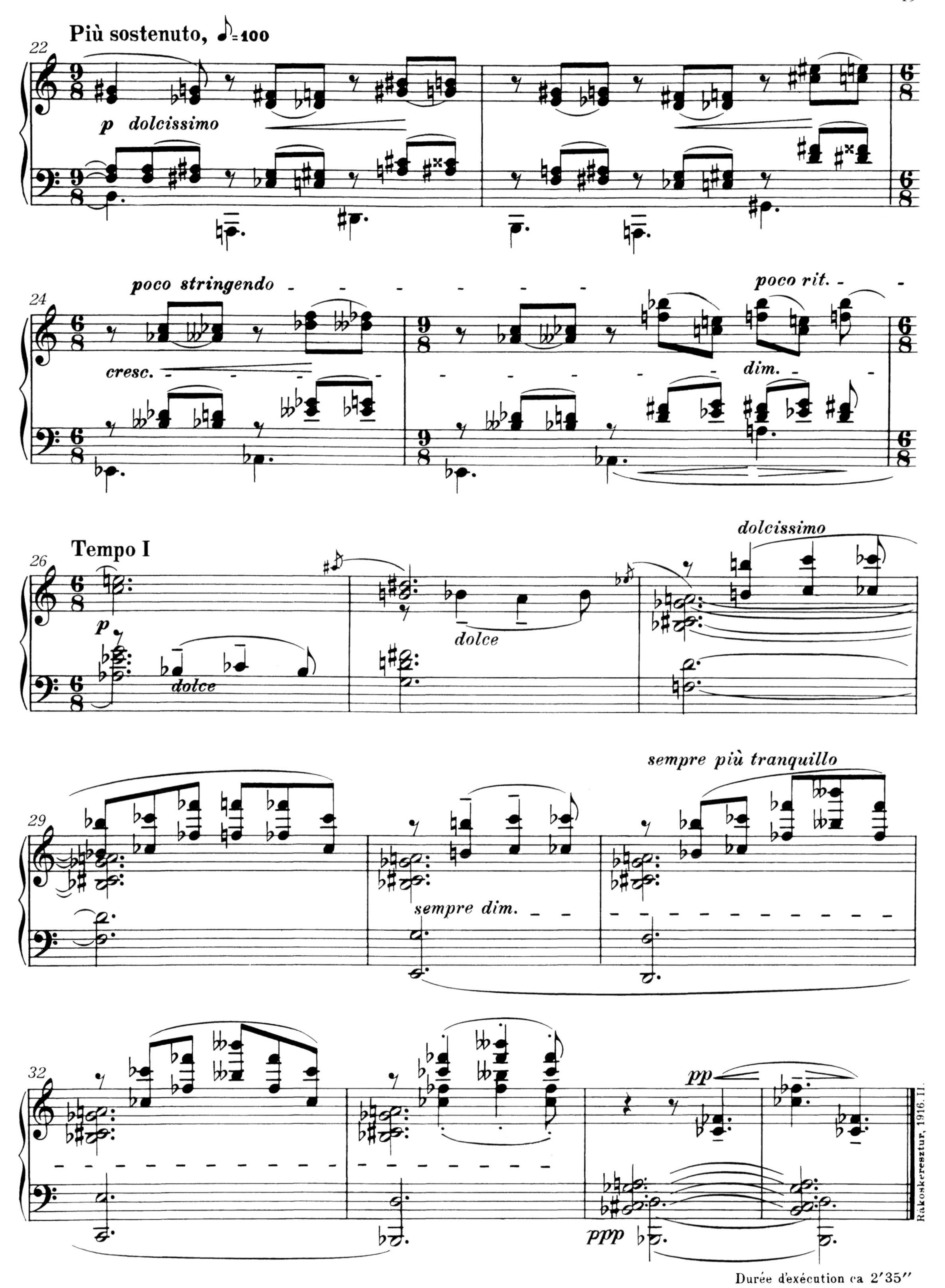
Più sostenuto, ♪=100
22
p dolcissimo
24
poco stringendo
cresc.
poco rit.
dim.
26
Tempo I
p
dolce
dolce
dolcissimo
29
sempre dim.
sempre più tranquillo
32
pp
ppp
Rákoskeresztur, 1916. II.
Durée d'exécution ca 2'35"